JN452351

좋아요

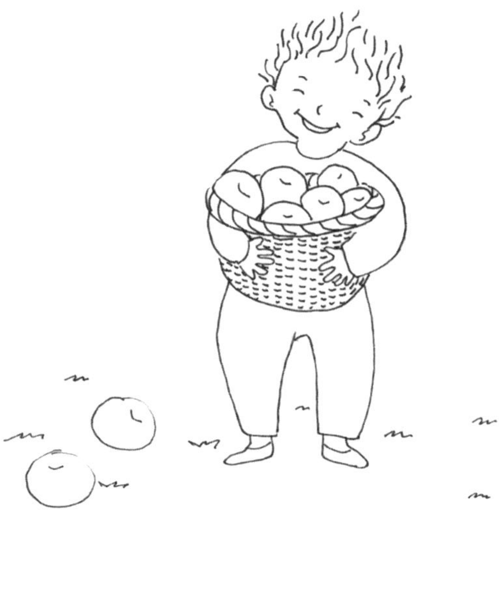

나는 나무가 좋아요.

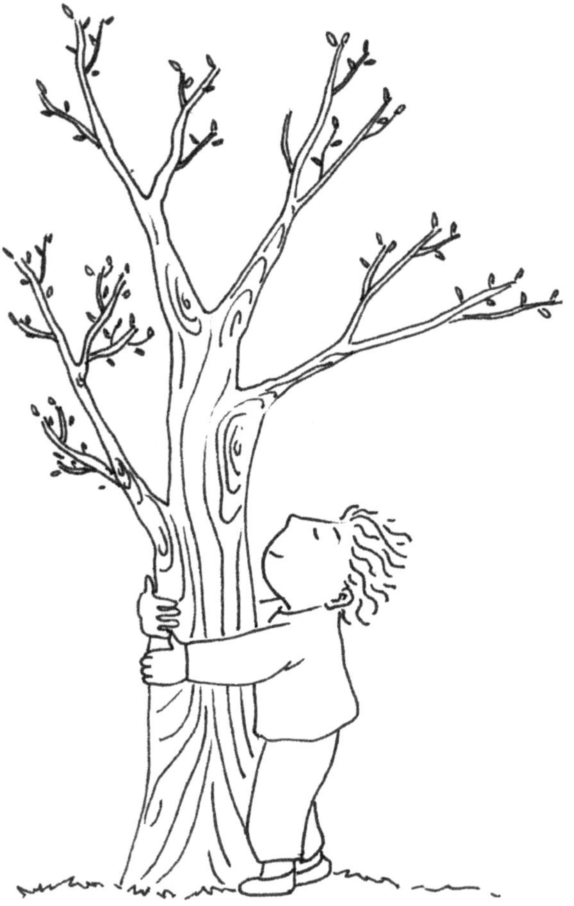

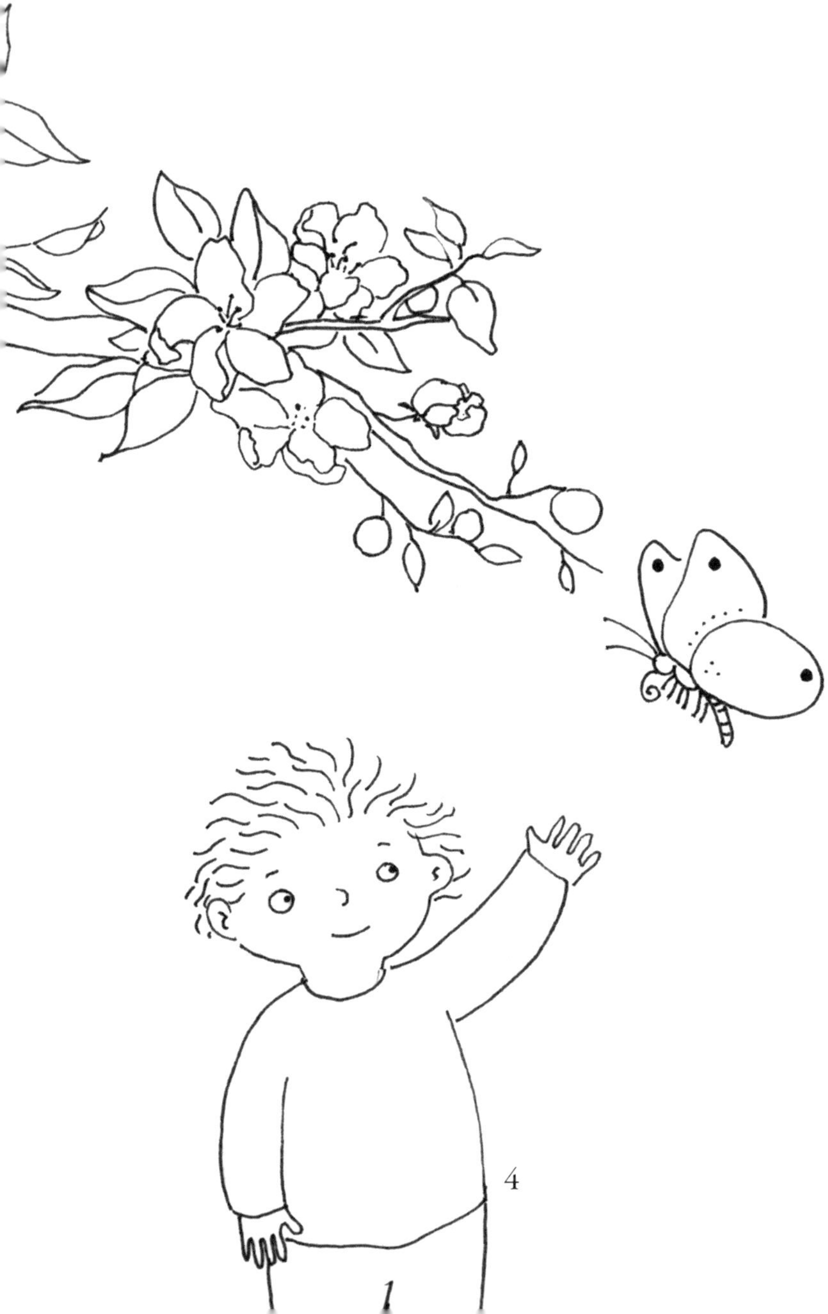

나는 나비가 좋아요.

나는 사과가 좋아요.

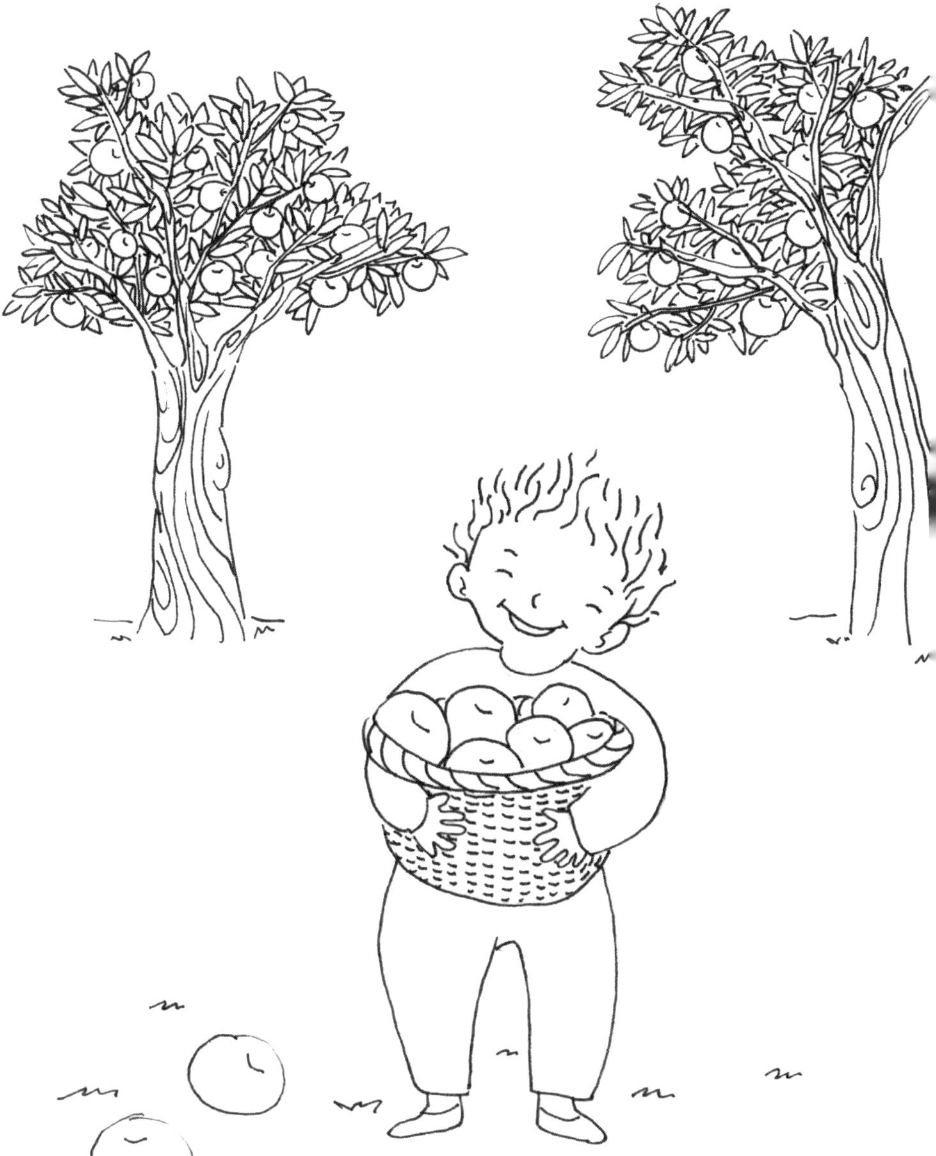

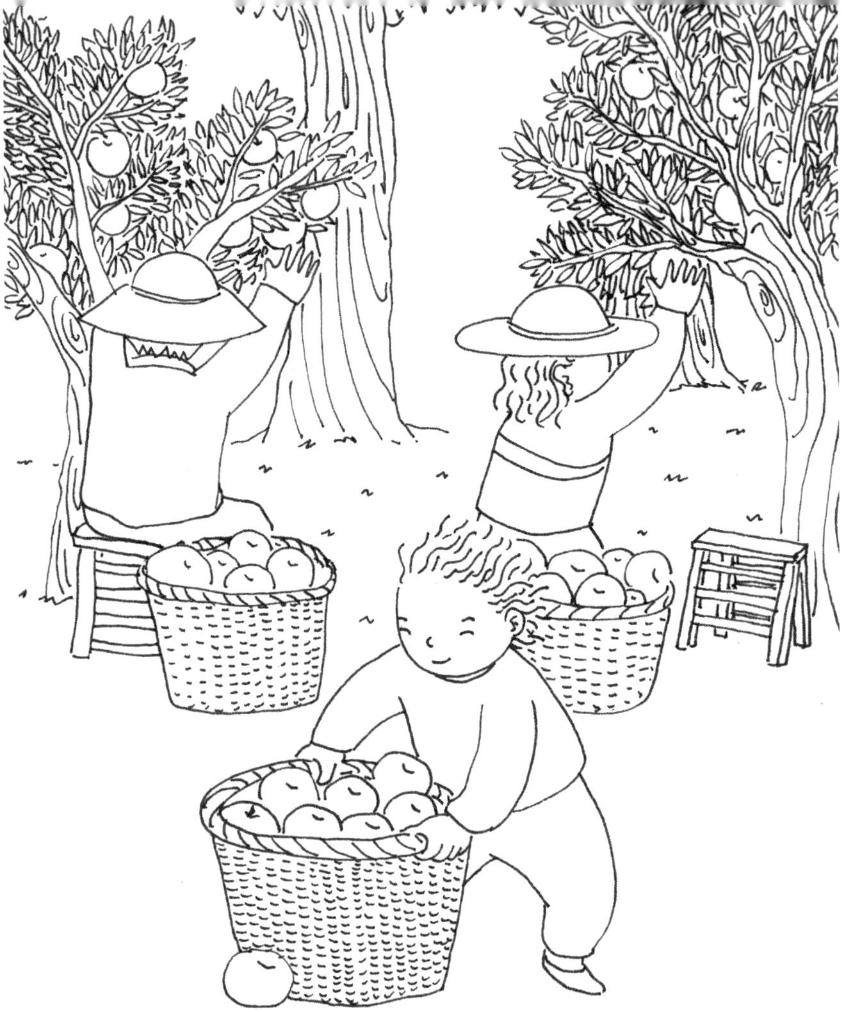

나는 우리가 좋아요.